BRAVO!

_____

est capable de lire ce livre!

À Susan Auerbach, une passionnée de musées
— J.O'C.

À Sasha
— R.P.G.

À D.D., une vraie perle
— T.E.

Catalogage avant publication de Bibliothèque et Archives Canada

O'Connor, Jane

La visite au musée / Jane O'Connor ;
illustrations de Robin Preiss Glasser ;
texte français d'Hélène Pilotto.

(Je lis avec Mademoiselle Nancy)
Traduction de: Fancy Nancy at the museum.
Pour les 5-6 ans.
ISBN 978-1-4431-1637-4

I. Preiss-Glasser, Robin II. Pilotto, Hélène III. Titre.

PZ23.O26Vis 2012   j813'.54   C2011-905621-6

Édition publiée par les Éditions Scholastic,
604, rue King Ouest, Toronto (Ontario) M5V 1E1,
avec la permission de HarperCollins.

5 4 3 2 1   Imprimé au Canada   119   12 13 14 15 16

MIXTE
Papier issu de
sources responsables
FSC® C103113
www.fsc.org

06241 1431

Je lis avec Mademoiselle

NANCY

La visite au musée

Jane O'Connor

Illustration de la couverture : Robin Preiss Glasser
Illustrations des pages intérieures : Ted Enik
Texte français d'Hélène Pilotto

Éditions
■ SCHOLASTIC

Oh là là! Je suis folle de joie!

(C'est une façon chic de dire que

je suis très contente.) Je vais visiter

un musée avec ma classe.

J'ai mis une tenue super chic.

Mme Mirette aussi.

— J'adore votre chandail, lui dis-je.

Mme Mirette déclare :

— Aujourd'hui, nous allons voir des chefs-d'œuvre! (C'est un mot chic pour dire des tableaux célèbres!)

L'autobus nous secoue beaucoup.

Boum! Boum! Boum! Je suis

assise avec Béa.

— J'ai mal au cœur, me dit-elle.

Boum! Boum! Boum!

On s'arrête pour dîner.

Béa n'a pas faim. Moi oui!

Je mange mon lunch.

Je mange aussi le sien.

J'avale deux œufs,

un jus,

des bâtonnets de carotte,

une pomme

et un gros biscuit.

— Mille mercis, lui dis-je.

(C'est une façon chic de remercier.)

On remonte dans l'autobus.

Boum! Boum! Boum!

— On arrive bientôt, annonce

Mme Mirette.

Tant mieux, car je ne me sens pas bien.
Pas bien du tout. Deux lunchs, c'était
un peu trop.

Tout à coup, je m'écrie :

— Madame Mirette, madame
Mirette! Je vais être malade!

— Arrêtez-vous! crie

Mme Mirette au chauffeur.

L'autobus s'arrête. Mme Mirette
me conduit au bord de la route.
Je vomis.

Je bois de l'eau. Je suce
un bonbon à la menthe.
Je me sens mieux, mais je
ne suis plus du tout folle de
joie. Je suis toute sale.

L'air triste, je dis à Mme Mirette :

— Je voulais avoir l'air super chic

aujourd'hui.

— Je comprends, dit-elle.

J'ai une idée.

Quand on arrive au musée, Mme Mirette

me dit :

— Suis-moi.

L'idée de Mme Mirette était sensationnelle.

(C'est un mot chic pour dire « super ».)

— Chanceuse, dit Béa. J'aurais bien aimé porter son chandail et son chapeau.

— C'est un chapeau français, lui dis-je. Ça s'appelle un béret.

Un employé du musée nous conduit dans une galerie. (C'est un mot chic pour dire « salle d'exposition ».)

J'aime tous les tableaux, surtout les chefs-d'œuvre. Il y a des peintures d'arbres et de lacs. On les appelle des paysages.

Il y a des peintures de fleurs et de bols de fruits. On les appelle des natures mortes.

Sur la dernière peinture, il y a une dame.

— Un tableau représentant une
personne s'appelle un portrait,
explique le guide.

Je dis au guide :

— J'aime le chapeau, l'éventail et le

collier de la dame. Ils sont lavande.

C'est ma couleur préférée.

(C'est un mot chic pour dire « violet pâle ».)

Le guide sourit et dit :

— Tu as le sens de l'observation, jeune fille.

Mme Mirette ajoute :

— Observer, c'est remarquer les détails.

Vous avez raison : Nancy est très

observatrice.

Pendant le trajet du retour, je me sens

bien. Je suis presque folle de joie.

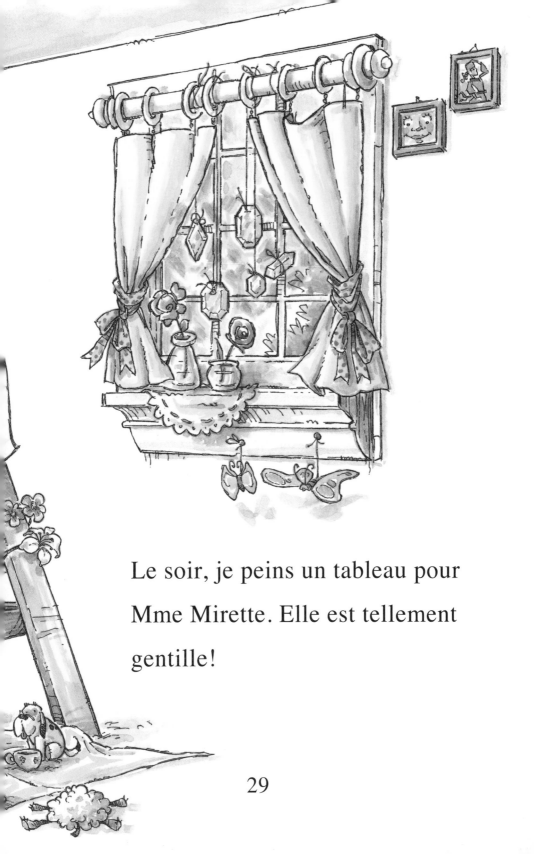

Le soir, je peins un tableau pour
Mme Mirette. Elle est tellement
gentille!

Ce n'est pas un chef-d'œuvre,

mais un jour, j'en peindrai un.

Les mots chics de Mademoiselle Nancy

Voici les mots chics du livre :

un béret : une sorte de chapeau

un chef-d'œuvre : un tableau célèbre

fou/folle de joie : très content/contente

une galerie : une salle d'exposition dans un musée

lavande : violet pâle

mille mercis : une façon spéciale de remercier

une nature morte : une peinture représentant des objets,
                comme des fleurs ou des fruits

observateur/observatrice : qui remarque les détails

un paysage : une peinture représentant la nature

un portrait : une peinture représentant une personne

sensationnel/sensationnelle : super